Bilder från Skåne
Bilder aus Skåne
Pictures from Skåne

Bilder från Skåne
Bilder aus Skåne
Pictures from Skåne

av

Roland Möllerfors

ARTOGRAF FÖRLAG 2001

Layout: Ingvar Grafoson och Roland Möllerfors
Andra reviderade upplagan
Tryck: Grafo-Tryck AB, Simrishamn 2001
ISBN 91-86360-15-9

Det platta Skåne? Åke Olsson och hans trogna kampar Goldie och Florida på kullarna vid Marsvinsholm, väster om Ystad.

Bilder från Skåne

Vid Sverige är fästat en liten jordlapp, som kallas Skåne, för att visa detta Sverige hur det övriga Europa ser ut.

R H Stiernswärd 1838.

Bilder aus Skåne

An Schweden ist ein Stückchen Land, das Skåne heißt, angeheftet, und das um diesem Schweden zu zeigen, wie der rest Europas aussieht.

R H Stiernswärd 1838.

Pictures from Skåne

A small patch of land, called Skåne, is attached to Sweden, to show the Swedes what the rest of Europe looks like.

R H Stiernswärd 1838.

SKÅNSKA SYMBOLER

Gåsen är, jämte kronhjort, prästkrage, flinta och ål, en skånsk landskapssymbol. Det är också flaggan, som är en färgglad syntes av Dannebrogen och den svenska nationalsymbolen. Den skånska självmedvetenheten är betydande - och förenar i sig både dansk och svensk tradition.

Die Gans ist, neben dem Rothirsch, der Margerite, dem Feuerstein und dem Aal, das Wahrzeichen von Skåne.

The goose, the stag, the ox-eye daisy, flint and eel are all symbols of the province of Skåne. So is the flag, a colourful synthesis of the Danish and the Swedish colours.

Äppelblommen vandrar i maj-juni över backarna vid Kivik i sydöstra Skåne. Två äpplen av tre, som konsumeras i Sverige, kommer härifrån.

Die Apfelblüten fliegen im Mai-Juni über die Hügel bei Kivik in südöstlichen Skåne.

May-June is apple blossom time in the hills around Kivik in the southeastern corner of Skåne.

SKÅNSKA KYRKOR

När Skåne kristnades på 1000-talet uppstod kyrkliga centra i Dalby och Lund. Nordens första ärkebiskopsämbete inrättades vid 1100-talets början i Lund.

På hundra år organiserades Skåne i kristna församlingar med över trehundra sockenkyrkor. De flesta finns ännu kvar.

Skåne är översållat med kyrkor, omkring 450 stycken. Ibland ligger de på bara några kilometers avstånd från varandra. Deras trappgavlar lyser vita över lummig grönska eller mognande fält. Många av dem är medeltida och rymmer stora konstskatter.

Stora bilden: Östra Vemmerlövs kyrka i en äkta skånsk miljö.

Lilla bilden: S:t Olofs vallfartskyrka på Österlen med helgonets silveryxa. Interiören rymmer bl a kor och altare från 1100-talet. Porten är från byggnadstiden. På pelarna syns mängder av ristade bomärken från vallfärdande.

In Skåne gibt es etwa 450 Kirchen. Viele von ihnen liegen ganz dicht aneinander, manchmal nur mit einem Abstand von zwei-drei km. Ihre Treppengiebel leuchten weiß über Wiesen und Felder. Einige Kirchen sind aus dem Mittelalter und besitzen bedeutende Kunstschätze.

Das große Bild: Die Kirche von Östra Vemmerlöv in echt schonischer Umgebung.

Das kleine Bild: Die Wallfahrtskirche von S:t Olof mit ihrer silbernen Axt.

Skåne has some 450 churches, sometimes only a few kilometres separates them. The stepped gables shine white in the luxuriant rural landscape. Many of the churches, overflowing with art treasures, date from the Middle Ages.

Main picture: The church of Östra Vemmerlöv in a typical scanian surrounding.

Small picture: The Pilgrimage Church in St. Olof with the silver axe.

Hägg.

Trauben-
kirsche.

Bird-cherry.

KORSVIRKESHUSEN

Gamla prästgården i Brandstad från 1680-talet. Den är ett fint exempel på den ursprungliga korsvirkestekniken. Eftersom det var ont om trä, men gott om lera och halm, senare tegel, blev detta byggnadssätt vanligt. Om än inte behäftat med status.

Der alte Pfarrhof in Brandstad stammt aus dem 17. Jahrhundert.

The old vicarage in Brandstad, from the 1680s.

SLOTTEN

Skåne är slottens landskap i Sverige. Här finns omkring 200 slott och herresäten. På tolv- och trettonhundratalen byggde adeln befästa sätesgårdar. Senare uppfördes befästa borgar, t ex Glimmingehus. Vid reformationen drogs mycket av kyrkans egendomar in till staten. Dit hörde Bosjökloster, t.h.

Under 1700-talet blev slotten allt mer ståndsmässiga bostäder än befästningsverk. Trolleholms slott, nedan, har sina äldsta delar från 1530-talet och fick sin nuvarande pampiga exteriör så sent som omkring 1890. Det är också en fin exponent för de pampiga sagoslott, som uppfördes under 1800-talet, då slottsherrarnas ekonomi snabbt blev mycket god.

In Skåne gibt es gut 200 Schlösser und Herrenhöfe. Während der Reformation übernahm der Staat viel Besitztum von der Kirche. Dazu gehörte u. a. das Bosjökloster (rechts).

Während des 18. Jahrhunderts kam es dazu, daß die Schlösser eher als standesgemässe Wohnungen als Festungen dienten. Die ältesten Teile des Trolleholmer Schlosses, links, stammen aus dem 16. Jahrhundert. Erst um 1890 wurde das Schloß umgebaut, und bekam das stattliche Äußere, das man heute bewundern kann.

There are about 200 palaces and mansions in Skåne. During the Reformation the Crown took over many estates, one of them was Bosjökloster, above.

From the 18th century the castles changed from being defensive buildings, into stately homes. The castle of Trolleholm, left, dates from the 1530s, and was given its present grand exterior as late as in the 1890s.

Magnolian blommar i maj och juni och skänker exotiska färgklickar åt skånska trädgårdar.

Die Magnolie blüht im Mai-Juni und schmückt die schonischen Gärten mit bunten, exotischen Farben.

The magnolia blossoms in May and June lend the scanian gardens an exotic dash of colour.

MALMÖ

Malmö är Skånes största stad med en kvarts miljon invånare. Den grundades på 1200-talet och fick sitt namn efter Malmhaugar, d v s ungefär sandhögar. På 1500-talet var Malmö en viktig stad inom det danska riket.

Malmö är en expansiv stad. Som exempel på det nya har jag valt Malmö stadsbibliotek. Henning Larsen var arkitekt och det kostade 118 miljoner kronor att uppföra. Här finns 700 000 böcker och, bland mycket annat, 12 000 musik-CD.

Malmö ist die größte Stadt in Skåne mit etwa 250 000 Einwohnern. Die Stadt wurde im 13. Jahrhundert gegründet. Während des 16. Jahrhunderts war Malmö eine bedeutende Stadt innerhalb des dänischen Reiches.

Das große Bild: Die Stadtbibliothek Malmös, welche vom Architekten Henning Larsen entworfen wurde. Hier gibt es u. a. 700 000 Bücher und 12 000 CD:s.

Malmö is the largest town in Skåne with a population of 250 000. It was founded in the 13th century, and was an important part of the Danish Kingdom in the 1500s.

Main picture: The library of Malmö, a work of the architect Henning Larsen. The building cost 118 million crowns. The library houses 700 000 books and 12 000 CDs.

Den gamla tiden representeras av denna läckra korsvirkesfasad vid Lilla Torg.

Die alte Zeit wird von diesem schönen Fachwerkhaus am Markt Lilla Torg repräsentiert.

This gorgeous half-timbered façade at Lilla Torg represents the old times.

MALMÖ

Malmö är en lyckad syntes av storslagen arkitektur och vatten, forna vallgravar, och lummiga parker. Centrum är ett livligt affärsområde.

Malmö ist eine gelungene Mischung aus großartiger Baukunst, Gewässern, ehemaligen Wallgräben, und grünen Parks. Die Stadtmitte ist ein lebhaftes Geschäftsviertel.

Malmö is a successful blend of great architecture and water, former moats, and rich foliage in the parks. The centre is a bustling commercial area.

MALMÖ

Malmöhus är i dag museum, men var en gång ett starkt fäste vid Öresund.

Södergatan är Malmös promenad- och affärsstråk. Och, tydligen, en omtyckt lekplats för den unga generationen.

Malmös utveckling kom inte i gång på allvar förrän hamnen byggts och järnvägen kom på 1850-talet. Runt sekelskiftet uppfördes mängder av ståtliga bostadshus - men också stora arbetarkvarter.

Bilden: Torghandel framför pampiga fasader vid Gustav Adolfs Torg.

Das Schloß Malmöhus ist heutzutage ein Museum, war aber mal eine bedeutende Festung am Öresund.

Södergatan ist Bummel- und Geschäftsstraße und ein beliebter Spielplatz für Kinder.

Die Entwicklung Malmös begann erst richtig um 1850, als Hafen und Bahnhof angelegt wurden.

Oben links: Markttag vor prachtvollen Gebäuden am Gustav Adolfs Torg.

Today Malmöhus is a museum, but it was once a stronghold of Öresund.

Södergatan is the promenade and business street of Malmö. And, apparently, a well-liked playground for the younger generation.

Malmö developed rapidly after the building of the harbour and the railway in the 1850s.

Above left: Market trade in front of the imposing façades in Gustav Adolfs Torg.

Malmö utsågs 1998 till Sveriges vackraste stad. De vidsträckta och välskötta parkerna bidrog säkert till det beslutet. Den stora Pildammsparken och den vattenblänkande Slottsparken är en attraktiv del av en grön zon, som delar Malmö i öst och väst.

Malmö wurde 1998 zu der schönsten Stadt Schwedens gewählt. Dazu haben die ausgedehnten und gepflegten Parkanlagen bestimmt beigetragen. Der große Pildammsparken und der vom Gewässer glitzernde Slottsparken befinden sich in der grünen Zone, die Malmö in Ost/West teilt.

In 1998 Malmö was named the most beautiful town in Sweden.The extensive and well-managed parks surely contributed to that honour.The large Pildammsparken and Slottsparken, glistening with water, form an attractive part of a new green zone, dividing Malmö into east/west.

898 flyttade apoteket Lejonet in i det ybyggda Teschska palatset. Där har et funnits sedan dess med tidstrogen nteriör i ek med gotisk sirlighet och eliefsmyckade balkonger.

1898 zog die Apotheke Lejonet, der Löwe, in das damals neu errichtete Teschska Palast. Dort findet man immer noch die Apotheke mit einer Einrichtung aus dem 19. Jahrhundert.

In 1898 the pharmacy, Apoteket Lejonet, moved into the newly built Teschska palatset, where it has remained ever since.

MALMÖ

Lilla Torg anlades på 1500-talet för att rymma den snabbt växande torghandeln. I dag är det en kulturhistorisk oas, som lockar många lunchätare sommartid.

Möllevångstorget har förvandlats till en exotisk marknadsplats. I kvarteren bor många nya svenskar och en del av dem har funnit sin utkomst inom torghandeln.

Lilla Torg wurde im 16. Jahrhundert als Marktplatz angelegt. Heute ist der Platz von kulturgeschichtlicher Bedeutung. Die Idylle und die Gastronomie ziehen im Sommer viele Besucher an.

Möllevångstorget ist ein exotischer Marktplatz.

Lilla Torg was designed in the 1500s to make room for the rapidly growing market trade. Today it is an oasis, rich in cultural history and attracting many lunch-guests in the summertime.

Möllevångstorget has developed into an exotic market-place.

MALMÖ

Malmö centrum har många vackra korsvirkeshus, som kantar livliga gågator. Vid Lilla Torg ligger Hedmanska gården, som byggts under 15- t o m 1700-talen. Här är bl a Form Design Center inrymt. Århundradena räcker varandra handen!

De forna hamnkvarteren på Väster är i dag en blomstrande idyll.

Im Zentrum von Malmö findet man in den lebhaften Fußgängerzonen viele schöne Fachwerkhäuser.

Das ehemalige Hafenviertel, Väster, ist heute eine blühende Idylle.

There are many beautiful half-timbered houses in the pedestrian streets in the centre of Malmö.

The former harbour quarters in Väster, today a flourishing idyll.

LUND

En symbol för ungdomens och lärdomens stad! Aldrig har jag sett så många cyklister som här. Det är också, så vitt jag vet, den enda stad, som har ett parkeringshus i flera våningar för cyklar...

Cyklar tänkte sig nog inte vikingahövdingen Sven Tveskägg när han anlade Lund 990. Det var redan då en gammal tings- och marknadsplats. 1103 tog ärkebiskopen för hela Norden säte i lilla Lund. Hans värdsliga makt förvandlade Lund till en Köpenhamns rival.

1668 inrättades universitetet. I dag är Lund inte bara kultur- och lärdomsstad samt kyrkligt centrum. Staden har också åtskilliga företrädare för vetenskaplig forskning och industriell spjutspetsteknologi. Samt tusentals cyklister.

Det tog hundra år, fram till slutet av 1700-talet, innan universitetet fick någon större betydelse. I dag är det desto mer tongivande. 30 000 studenter arbetar här.

T.v.: Universitetshuset, invigt 1882.

Lunna Påga, domkyrkotornen, syns långt ut på slätten och lockar besökare från hela världen.

Nirgendwo anders habe ich so viele Fahrradfahrer wie in dieser Stad gesehen! Meines Wissens ist Lund die einzige Stadt, die ein Parkhaus mit mehreren Stockwerken für Fahrräder hat.

An Fahrräder hat der Wikingerhäuptling Sven Tveskägg bestimmt nicht gedacht, als er die Stadt im Jahr 990 gründete. Damals war Lund schon ein alter Gerichts- und Marktplatz. Im Jahr 1103 war die Stadt des Sitz des Erzbischofs für ganz Skandinavien.

Die Universität zu Lund stammt aus dem Jahr 1668. Zur zeit studieren hier etwa 30 000 Studenten.

Links Seite 16: Die Universität, eingeweiht 1882.

Rechts Seite 16: Lunna Påga, die Türme des Doms locken Besucher aus der ganzen Welt an.

A symbol of youth and learning! I have never seen as many cyclists as here. And as far as I know, Lund is the only town with a parking house, several storeys high, for bicycles only...

Bicycles were probably not on the mind of the Viking chief Sven Tveskägg when he founded Lund in 990. By that time Lund was already an old meeting- and market place. In 1103 the archbishop of Scandinavia took residence in Lund.

The university was founded in 1668. Today Lund is a centre of culture, education and the church.

By the end of the 1700s the university had gained some importance. Today 30 000 students study here.

To the left page 16: the university building from 1882.

To the right, page 16: Lunna Påga the cathedral towers can be seen from afar and attract visitors from all over the world.

Lunds Domkyrka, som invigdes 1145, är Nordens förnämsta romanska byggnadsverk.

Det stora astronomiska uret är kyrkans största sevärdhet. Två gånger om dagen flockas besökare för att se uret i rörelse.

Jätten Finn, som förstenad i evighet kramar en av pelarna i domkyrkans krypta, är en av dessa sagofigurer, som fascinerat generationer. Ovan t.v.

Der Dom zu Lund, der 1145 eingeweiht wurde, ist das hervorragendste Bauwerk romanischen Stils in Skandinavien. Die bekanteste Sehenswürdigkeit der Kirsche ist die riesige astronomische Uhr.

Der Riese Finn ist eine faszinierende Märchenfigur. Er steht in der Krypta, wo er versteinert eine Säule umarmt. Oben links.

The cathedral of Lund from 1145 is the finest example of Romanesque architecture in Scandinavia. The large astronomical clock is the masterpiece of the cathedral.

The giant Finn, petrified for eternity, hugs one of the pillars in the crypt. The giant is a mythical figure who has fascinated generations. Above left.

LUND

Kulturen, eller Kulturhistoriska Museet, är Skånes Skansen - bara så mycket finare. Ett tiotal gamla Lundahus står kvar där de alltid stått. De har nya grannar av alla slag, från bondstugor till stadshus. Till detta kommer grönska och intressanta interiörer.

Botaniska trädgården, en undervisningsträdgård, prunkar av 7 000 olika växtarter, varav denna gula rhododendron är en. Själv är jag mest imponerad av stenträdgården, d v s stenpartierna.

Kulturen, das Kulturhistorische Museum, ist eine Oase mit vielen schönen, alten Häuser. Im Botanischen Garten, der als Bildungsanstalt benutzt wird, prunken 7 000 verschiedene Pflanzen.

Kulturen or The Museum for Cultural History, is an open air museum with many fine, old houses. The Botanical garden has 7 000 different kinds of plants.

LUND/DALBY

År 1060 delades Roskildestiftet. Då fick Lund/Dalby egen biskop. Samma år började biskop Egino bygga Heligkorskyrkan på en kulle i Dalby, inom synhåll från Lund. Kryptan, som byggdes under 1100-talets första del, är ett mycket fint exempel på högromansk arkitektur. Dopfunten anses vara en av Sveriges märkligaste.

Im Jahr 1060 bekam Lund/Dalby einen eigenen Bischof. Im selben Jahr begann der Bischof Egino die Kirche Heligkorskyrkan auf einem Hügel in Dalby, in Sehweite von Lund, zu bauen.

In 1060 the diocese of Roskilde was divided. Lund/Dalby became bishopriec in their own right. Heligakorskyrkan on a hill in Dalby was commenced by bishop Egino.

Absiden är den äldsta delen av Lunds domkyrka.

Die Apsis ist der älteste Teil des Doms zu Lund.

The absid is the oldest part of the cathedral.

HELSINGBORG

Sundets Pärla! Det kan man kanske inte säga om Rådhuset. Men dess torn står, liksom Kärnan, på post vid den trånga delen av Öresund. Det var också uppgiften för Helsingborg, när platsen började befästas på 1000-talet. I dag har staden 115 000 invånare. Dess läge vid sundets smalaste del har gjort Helsingborg till Sveriges port mot Danmark och kontinenten. Färjetrafiken är, som framgår av bilden, mycket livlig.Om Malmö är arbetarstaden och Lund lärdomsstaden framstår Helsingborg som den borgerligt trivsamma staden i Skåne.

Die Perle am Sund! Das gilt vielleicht nicht für das Rathaus, aber seine Türme stehen, genau wie Kärnan, am engsten Teil von Öresund.Heute hat Helsingborg 115 000 Einwohner. Dessen Lage am schmalsten Teil des Sundes hat die Stadt zu Schwedens Tor nach Dänemark und dem Kontinent gemacht. Der Fährverkehr ist, wie auf dem Bild zu sehen ist, sehr intensiv.

Pearl of the Sound! The town hall and its tower stand, just as Kärnan, the remaining part of a medieval fortress, in the narrowest part of Öresund.Helsingborg has a population of 115 000. It is Sweden's gate to Denmark and the Continent. The ferry across to Denmark takes 20 minutes.

HELSINGBORG

Kärnan är centraltornet, och det enda som återstår av Helsingborgs slott. I mer än 600 år har det vakat över den viktiga passagen mellan Danmark och Skåne.

Redan på 1100-talet fanns en befästning uppe på branten. 1679 raserades slottet, men Kärnan fick stå kvar, lyckligtvis. Den var nämligen ett utmärkt sjömärke och har blivit symbol för hela staden. Dessutom får den, som orkar gå upp för trappan, njuta av en magnifik utsikt.

Kärnan ist das Haupttor, und das Einzige was von dem Helsingborger Schloss übrig ist. Seit mehr als 600 Jahren bewacht es die wichtige Passage zwischen Dänemark und Skåne.

Kärnan is the central tower, and the only remaining part of the Castle of Helsingborg. For more than 600 years it has been watching over the important passage between Denmark and Skåne.

Borgerlighetens fasader vid Stortorget.

Die Fassaden des Bürgertums am Marktplatz Stortorget.

The façades of Stortorget.

Jacob Hansens hus är det äldsta korsvirkeshuset i Helsingborg, uppfört år 1645.

Jacob Hansens Haus ist das älteste Fachwerkhaus in Helsingborg. Es wurde im Jahr 1645 erbaut.

Jacob Hansens house, built in 1645, is the oldest half-timbered house in Helsingborg.

HELSINGBORG

Gamlegård är ett välbevarat borgarhem från 1700-talet. Här var Gustav III en kär gäst.

Gamlegård ist ein gut erhaltenes bürgerliches Haus aus dem 18. Jahrhundert.

Gamlegård is a well preserved middle-class home from the 18th century.

SOFIERO

Sofiero är mest känt för sina majestätiska rhododendronbuskage. Majestätiska är rätt ord, för detta har varit ett kungligt lustslott. Kung Oscar II och hans drottning Sofia köpte egendomen 1864. För 80 år sedan skapade kronprinsessan Margareta, Gustav VI Adolfs första hustru, den spännande parken i och kring ravinerna. Drottning Ingrid av Danmark, hennes dotter, anlade en doftande trädgård. Gustav VI Adolf är mästaren bakom planteringen med 10 000 rhododendronbuskar av 500 olika varianter. Dessutom njuter ögat av rosor, dahlior och kryddväxter.

Das Schloß Sofiero ist hauptsächlich für seine majestätischen Rhododendronbüsche bekannt. Majestätisch ist genau das richtige Wort dafür, denn Sofiero ist ein königliches Lustschloß gewesen. Der König Gustaf VI. Adolf ist der Schöpfer der Anlage, die 10 000 Rhododendronbüsche beherbergt. Außerdem kann man hier Rosen, Dahlien und Gewürzpflanzen genießen.

Sofiero is renowned for its majestic rhododendrons. Majestic is the right word; this used to be a royal palace. King Gustav VI Adolf and his first wife Margareta planted the first rhododendrons. Today there are 10 000 rhododendrons of 500 varieties.

HELSINGBORG

Här finns Sveriges äldsta institutionsteater. Man spelar på tre olika scener. Ingmar Bergman började som regissör här. Konserthuset intill byggdes 1932, ritat av Sven Markelius. Det är ett mycket fint exempel på svensk funktionalism.

Den roliga skulpturgruppen framför teatern heter För öppen ridå. Skulptör: Sven Lundqvist.

Hier findet man das älteste staatliche Theater Schwedens. Ingmar Bergman hat hier seine Karriere als Regisseur begonnen. Das Konzerthaus nebenan, das vom Architekten Sven Markelius entworfen wurde, ist 1932 erbaut worden.

Die lustige Gruppe von Skulpturen heißt Auf offener Szene. Bildhauer: Sven Lundqvist.

This is the theatre where Ingmar Bergman began his work as a director. Next to it, the Consert Hall, built in 1932, by Sven Markelius.

The funny sculpture group in front of the theatre is by Sven Lundqvist.

Staden växer! De mest attraktiva områdena vid havet och hamnen har frigjorts för bostadsbebyggelse.

Die Stadt wird größer! Die populärsten Bezirke an der See und Hafen sind jetzt für Wohnungen reserviert worden.

The town is growing! In attractive areas by the sea and the harbour residential blocks are being built.

VIKEN

Detta var Kullabygdens huvudort tills det industrialiserade Höganäs drog ifrån. Redan på 1600-talet var Viken ett stort samhälle. Under 1800-talet växte det ytterligare när sjöfarten blomstrade. Skeppsbyggeriet blev en viktig näringsgren från 1700-talet och framåt. Nästa storhetstid kom med badgästerna. Sedan köpte sommargästerna husen de hyrt, gullade till dem, och det blev fint att bo på Viken. Särskilt gamla Viken, som egentligen inte är så gammalt. Det är fint ännu i dag, även om man ofta pendlar till Helsingborg.

T h: Möllan byggdes 1837 och dominerar miljön inne i gamla Viken. Den är också stor; en av de största i Skåne.

Lilla bilden: Mängder av pietetsfullt, och dyrbart, restaurerade och underhållna pärlor kantar Vikens smala gator.

Der alte Teil des Fischerdorfs Viken ist fein und vornehm geworden. Heutzutage wohnen hier hauptsächlich Helsingborger, die in die Stadt pendeln.

Die Mühle wurde 1837 erbaut, und ist überall im alten Fischerdorf Viken zu sehen. Sie ist eine der größten in Skåne.

Gamla (old) Viken is a pleasant fishing village today. Picture: The mill built in 1837 dominates gamla Viken. It is a big mill, one of the largest in Skåne.

SÖDERSLÄTT

Urbilden för Skåne! Vajande sädesfält, stor himmel och absolut platt. Nästan. Här och där bryts slätten av åldriga bronsåldershögar.

Söderslätt är landet Söder om landsvägen; gamla vägen mellan Ystad och Malmö, som delade Sverige i två likvärdiga delar. Detta antagligen sagt som en komplimang till landet norr om vägen...

Das ist das Urbild Skånes: wehende Getreidefelder, und die Ebene! Es ist fast überall flach. Nur ab und zu wird dieses Flachland durch Hügel aus der Bronzezeit unterbrochen.

Söderslätt ist die Landschaft südlich der Landstraße zwischen Ystad und Malmö.

This is Skåne! The fields, big sky, the plains. Now and then the plains are decorated with ancient Bronze Age mounds.

Söderslätt is the land South of the main road, the old road between Ystad and Malmö, that was said to divide Sweden into two equal parts...

Storken är tillbaka i Skåne! Visserligen importerad men kan kanske så småningom ta tillbaka sin roll som en av de skånska symbolerna.

Månstorps gavlar vid Ö Grevie - en av dessa lämningar efter slott, som Skåne är rikt på. Uppförd 1540, raserad under svensk - danska kriget 1678. Intill: ett nästan intakt överstebosställe.

Der Storch ist nach Skåne zurückgekehrt! Er ist zwar künstlich angesiedelt, kann aber vielleicht bald wieder ein Symbol für Skåne sein.

Månstorps gavlar in der Nähe von Ö Grevie - ein Überreste eines Schlosses. Solche Ausgrabungen sind übrigens in Skåne recht üblich.

The stork is back in Skåne! Well yes, it's an import, but maybe it can regain its position as one of the symbols of Skåne.

The gables of Månstorp, Östra Grevie - the remains of a palace.

SKANÖR

Det var gott om sill på 1200-talet. Så gott om den, och så viktigt att skydda fisket, att kungen byggde en borg här. Nu går sommargäster och malmöbor till i stora stim. Miljön vid kyrkan, ovan, är mycket fin, liksom rådhuset från 1777. Kyrkan blev väl aldrig så storslagen som man tänkte på 12-1300-talen, men sevärd ändå.

Im 13. Jahrhundert gab es viel Hering an dieser Küste. Um den Fischfang zu schützen hat der König hier am Ort eine Burg bauen lassen. Die alte Stadt ist bezaubernd, genau wie das Rathaus aus dem 1777.

Herring fishing was excellent in the 13th century. The king built a fortress here, in order to protect the fishing. The old town has beautiful features. As does the town hall from 1777.

Jag gillar Staffanstorps nya centrum. Det skånskdanska arvet ligger som en grundton medan arkitekturen är varierad och spännande. Varma färger, gammal stadskänsla förenas med vitalt formspråk.

Gåsaslottet, det gamla fjäderfähuset på Toppeladugård, norr om Grevie, ritades på 1870-talet av Helgo Zettervall, domkyrkoarkitekten, minsann.

In Staffanstorp spürt man den schonisch-dänische Ursprung, auch wenn die neue Architektur abwechslungsreich und spannend ist.

Das Gänseschloss, am Toppeladugård, ist wahrscheinlich das schönste Hühnerhaus Skånes.

The cultural links with Denmark are clear. The contemporary architecture, as in Staffanstorp, is varied and exciting.

The goosecastle, the old henhouse at Toppeladugård, is probably the finest hen house in Sweden.

TRELLEBORG

Det verkar bara vara att köra gatan i Trelleborg rakt fram och ut i vida världen. Färjan till kontinenten, till Europa, ligger som en strandad val med jätttegap redo att ta emot bilarna.

Trelleborg var en viktigt handelsplats redan på 1200-talet, förlorade stadsrättigheterna på 1600-talet men blomstrar igen. Och är nu porten till kontinenten, både verklig och symbolisk.

Es scheint als ob man nur die Hauptstraße geradeaus fahren muß, um in der großen Welt zu landen. Die Fähre nach Deutschland liegt wie ein Wal am Strand, mit offenem Rachen bereit, die Autos zu verschlingen.

It seems like all you have to do is drive down the street in Trelleborg and out into the world. The ferry to the Continent looks like a stranded whale, ready to swallow the cars.

SMYGEHUK

Detta är Sveriges sydligaste udde, Smygehuk, lilla bilden. Härifrån kom en gång all den kalk, som vitmenade Skånes fyrlängade gårdar. Hamnen är ett gammalt kalkbrott. Stenmagasinet var beryktat för smuggeltrafik en gång.

Stora bilden. Strax norr om samhället ligger raden av kalkugnar.

Dies ist die südlichste Landzunge Schwedens, Smygehuk, das kleine Bild. Nördlich von der Ortschaft findet man Reihen von Kalkhütten.

This is Sweden's southernmost promontory, Smygehuk, small picture. Main picture: Due north of the village you will find these limekilns.

HÖRBY

Stora Hotellet i Hörby och kyrkan där bakom en solig sommarmorgon. Ärevördiga institutioner, som kompletterade varandra. Fasader, tinnar och torn, som lyfte människors tankar ovan vardagen. Mat och dryck, evangelium och glad samvaro. Samt status åt orten. Omistliga.
Här bodde författarinnan Victoria Benedictsson, alias Ernst Ahlgren, postmästarfru.

Das Hotel zu Hörby und die Kirche dahinter, an einem sonnigen Sommermorgens. Hier wohnte die Autorin Victoria Benedictsson, alias Ernst Ahlgren, die Ehefrau des Postamtsleiters.

Stora Hotellet in Hörby and the church, right behind it, on a sunny summer morning.
The author Victoria Benedictsson, alias Ernst Ahlgren, the postmaster's wife, lived here.

YSTAD

Känd som Sveriges sydligaste stad, vilket den dock inte är. Ligger precis där en skånsk stad ska ligga: i skarven mellan åkerlandet och havet. Under Napoleonkrigen blomstrade Ystad, eftersom staden var centrum för en intensiv smuggeltrafik. I dag färjehamn mot Polen och Bornholm samt exporthamn för spannmål. En modern stad med rik historia.

Lilla bilden: Kåseberga bjuder besökarna på nyrökt sill.

Ystad ist dafür bekannt, die südlichste Stadt Schwedens zu sein, was aber nicht der Fall ist. Während der Napoleonkriege blühte Ystad, da die Stadt das Zentrum eines intensiven Schmuggels war. Heute hat die Stadt Fährverkehr nach Polen und Bornholm und ist eine moderne Stadt mit einer langen und interessanten Geschichte.

Kleines Bild: In Kåseberga können die Besucher frisch geräucherte Heringe kosten.

The town of Ystad flourished during the wars against Napoleon when Ystad was a centre for smugglers. Today the port has well developed communications with Poland and Bornholm. Ystad is a modern town built on rich historical grounds.

Small picture: Kåseberga offers visitors freshly smoked herring.

YSTAD

Pilgrändshuset är ett av 300 korsvirkeshus i Ystad. Magasinet t v i bilden är Nordens äldsta korsvirkeshus, uppfört omkring 1480. Lilla bilden: Magasinet har alla den tidens arkitektoniska kännetecken: ålderdomlig timra, mönstermurat tegel och rund blindering som prydnad.

"Pilgrändshuset" ist eines von 300 Fachwerkhäusern in Ystad. Der Speicher (links auf dem Bild) ist das älteste Fachwerkhaus Skandinaviens, um 1480 erbaut.

Das kleine Bild: Der Speicher ist kennzeichend für die Architektur der damaligen Zeit.

Pilgrändshuset is one of the 300 half-timbered houses in Ystad. The storehouse, left in the picture, is from the 1480s, thus making it the eldest half-timbered house in Scandinavia.

Small picture: The storehouse bears all the architectural marks of its time.

YSTAD

För att bli en riktig Ystad-bo måste man döpas två gånger: en gång i Mariakyrkan och en gång på Stortorget under Frivilliga Bergnings Corpsens vattenkaskader vid den årliga sprutmönstringen. "Frivilligan" bildades 1839 och var länge stadens enda brandkår.

Um ein echter Ystader zu werden, muß man sich zweimal taufen lassen: einmal in der Marienkirche, einmal am Markt "Stortorget", wenn die Feuerwehr ihre järhlich Vorführung hat.

In order to become a real citizen of Ystad you have to be baptized twice. Once in Mariakyrkan and once in the Main Square during the yearly muster of the fire-company, Frivilliga Bergnings Corpsen.

YSTAD

Apoteksgården i Ystad. Eller Krukmakarehuset numera. Byggt omkring 1600, prytt med loftlist, stiliga knektar och mönstermurat tegel.

”Apoteksgården” wurde um 1600 errichtet. Das alte Ziegelgebäude ist sehr schön geschmückt.

Apoteksgården in Ystad, built circa 1600.

YSTAD

Fållberedaregårdarna och Maltfabriken i Ystad. Här har idoga hantverkare berett skinn och fällar sedan tidigt 1700-tal. Minst. Sämskmakeri var en specialitet. Maltfabrikens torkria kröner numera en restaurang med eget bryggeri där Ysta färsköl tillverkas.

Änglahuset i Ystad från 1573 är vackert dekorerat med tämligen änglalika ansikten - men också med bistra knektar.

"Fållberedaregårdarna". Hier arbeitet man seit dem 18. Jahrhundert mit Leder und Fellen. Die Malzfabrik is heutzutage eine Bräuerei mit Restaurant.

"Änglahuset" in Ystad aus dem Jahr 1573 ist wunderschön dekoriert.

Fållberedaregårdarna and Maltfabriken in Ystad. From the early 1700s industrious craftsmen curryied leather here. A restaurant with brewery is to be found in Maltfabriken today.

Änglahuset from the year 1573 is beautifully decorated.

YSTAD

Stortorget i Ystad. Här löpte vägarna samman, här låg rådhus och teater. Först omnämnt 1303, men säkert väl etablerat redan då. Här låg Ting-sténen, här restes trähästen och kåken. I december 1636 brändes en häxa här.

”Stortorget”. Hier haben sich immer die Strassen gekreuzt. Hier befanden sich einmal Rathaus und Theater.

Stortorget in Ystad. This is where the roads met, this is where the town house and theatre were situated.

BACKÅKRA

Här skulle Dag Hammarskjöld i dag ha njutit sitt otium efter ett verksamt och gagnerikt liv. Så blev det ju inte. På sina resor och under sitt tunga arbete drömde han om denna lilla gård på Skånes sydkust, drömde om att vandra, läsa och meditera här.

Nu ägs gården av Svenska Turistföreningen och kan besökas.

Hier wollte Dag Hammarskjöld seinen Lebensabend verbringen. Er sollte aber nie dazu kommen. Jetzt ist der Bauernhof im Besitz von dem Schwedischen Touristenvereins und darf besichtigt werden.

The place where Dag Hammarskjöld wanted to spend his time after retiring from the UN. We regret that he never had the opportunity. Backåkra is now owned by The Swedish Tourist authority, and is open to visitors.

VITTSKÖVLE

Detta vackra, privatägda slott söder om Kristianstad är en av Nordens bäst bevarade renässansborgar. Braheskäkten byggde den under senare hälften av 1500-talet som försvarsborg, omgiven av vallgravar på sankmarker med pålad grund.

De bastanta stenmurarna på ekonomibyggnaderna utstrålar självmedvetenhet, styrka och, för all del, skönhet.

Dieses schöne Schloß im privaten Besitz liegt südlich von Kristianstad, und ist eine der am besten bewahrten Renaissanceburgen Skandinaviens.

Das kleine Bild: Die dicken Steinmauern strahlen Selbstbewußtsein, Stärke und, ja, Schönheit aus.

This beautiful, privately owned palace south of Kristianstad, is one of the best preserved renaissance palaces in Scandinavia.

The firm stone walls of the barns radiate strength and beauty.

BORGEBY

Borgeby slott, som byggdes för att skydda Kävlingeåns transportled och marknadsplatsen i Löddeköpinge, har anor från tidig medeltid. De äldsta delarna är från 1400-talet. Här bodde "storkmålaren" Ernst Norlind.

Ladugården anses vara den äldsta i Sverige.

Das Schloß Borgeby stammt aus dem frühen Mittelalter. Der Kuhstall soll der älteste in Schweden sein.

The palace of Borgeby was built during the early Middle Ages. The cow-house might be the oldest in Sweden.

SKÅNSK SKOG

För att inte bilden av Skåne ska bli alltför utslätad visar jag ett foto från trakten vid Häckeberga. En natur, som skulle passa bra i en bok om betydligt nordligare landamären!

In Skåne gibt es nicht nur Flachland und Felder!

Not all the land in Skåne is fields...

Skåne är också åsarnas landskap. De löper snett över hela landskapet som väldiga vågor från urtiden. De utgör också fina utsiktspunkter, här från Romeleåsen söderut över lövskogen i fjärran.

Die Bergrücken überqueren die Provinz wie Wellen aus der Urzeit.

Skåne is the Land of Ridges!

ARILD

Ärkebiskopen i Lund hade fiskerätten i Arild på 1100-talet, ”Hellige Arvidts leje”. Jämsides med Mölle är Arild Sveriges första turistort. På 1870-talet började fint folk hyra och köpa pittoreska fiskarhus nere vid hamnen. Vid 1800-talets slut samlades här konstnärer och författare. Arild är en aning dolt för världen, i lä bakom berget med lummiga trädgårdar. Så som bilden från rum nummer 3 på Strand Hotell antyder.

Neben Mölle ist Arild der älteste Ferienort Schwedens. Seit dem Ende des 19. Jahrhunderts wohnen immer mehr ”feine Leute” in den malerischen Fischerhäusern am Hafen.

Arild was, besides Mölle, one of the very first tourist destinations in Sweden.

MÖLLE

Mölle blev på 1870-talet vår första badort. Då började några djärva personer av båda könen att bada. I heltäckande baddräkter, visst, men ändå offentligt och tillsammans. Det lockade turister! 1908 räknade man till 3 000 gäster dagligen i Mölle, också danska och tyska, t o m tyske kejsaren. 1907 inrättades Sveriges första reguljära busslinje till järnvägsstationen i Höganäs.

Fint folk kom med lustjakt.

Mölle är fortfarande ett populärt turistmål. Hamnen och Kullaberg lockar. Men ingen höjer på ögonbrynen vid badstranden längre.

Mölle war schon 1870 ein Badeort. Zu dieser Zeit haben mutige Frauen und Männer damit angefangen in der See zu baden. Das lockte Touristen an, u. a. den deutschen Kaiser.

Around 1870 Mölle became the first seaside resort in Sweden. Some bold persons of both sexes dared to swim together in the open sea. The sight attracted many other visitors, among them the German emperor.

Kullaberg har blivit klättrarnas farliga paradis. Det är ett heligt berg, 188 meter högt, med den kanske äldsta fyrplatsen i Skandinavien, sedan mer än 800 år.

Der Kullaberg hat den vielleicht ältesten Leuchtturm Nordens - er ist über 800 Jahre alt.

Kullaberg has probably the oldest lighthouse in Scandinavia, more than 800 years old.

VEN

Flicka från Backafall, Gabriel Jönssons kända visa, har präglat generationer svenskars bild av Ven. Och visst är backafallen, de eroderade strandstupen ner i havet, magnifika. Ven påminner en aning om Capri: höjden över havet, 45 meter, som ger spektakulära vyer ut över vattnet, solen och turismen. Vens storhetstid inföll 1576 - 96 när Tycho Brahe verkade på Uranienborg och Stjärneborg. Han råkade dock i onåd hos Kristian IV och flydde mer eller mindre till Prag där han dog, endast 55 år gammal. I dag, först, vårdas hans minne och de små resterna efter borgarna, ömt på Ven.Och, jo, malvorna växer här, men mest i trädgårdarna. Bilden: S:t Ibbs kyrka är ett självklart mål för besökaren på Ven.

Die Insel Ven erinnert uns etwas an Capri - sie liegt 45 Meter über dem Meeresspiegel, und wir haben einen herrlichen Blick auf Wasser und Sonne. Ein Muß für Besucher: S:t Ibbs Kirche und unten der malerische Hafen.Die Blütezeit der Insel war 1576 - 1596, als Tycho Brahe auf der Uranienburg und der Sternenburg wirkte.

Ven bears a slight resemblance to Capri with its heigh of 45 metres above the sea. The church of S:t Ibb is the most popular scenic spot. Ven became well known in the end of the 16th century, when the famous astronomer Tycho Brahe lived and worked here.

LANDSKRONA

Citadellet i all ära, men det är koloniträdgårdarna, som är trevligast. De är landets äldsta där de ligger på borgmurarnas norra sida. Redan 1870 började man fördela lotter till arbetare. Många av stugorna är små smycken av snickarglädje och glada färger. En museistuga finns, Rothoffska kolonin, byggd 1903. Citadellet har anor från 1540-talet och har byggts ut flera gånger - till priset av att det medeltida Landskrona utplånades.

Die Zitadelle ist sehr schön, aber ich finde die Schrebergärten am gemütlichsten. Diese sind die ältesten in Schweden. Die Zitadelle ist merhmals ausgebaut worden. Dadurch wurde allerdings das mittelalterische Landskrona vernichtet.

The Citadel is the most impressive building in the town, but the allotment gardens, oldest in Sweden, built on the ramparts of the fort, are, by far, more romantic.

ÄNGELHOLM

Lergökasta'n är till stora delar en idyll. Mycket beror det på Rönneå, som flyter genom staden på sin väg mot Skälderviken. Kristian Tyrann, här kallad den gode, grundade staden 1516. Ängelholm var länge berömt för sitt laxfiske. Den är också sedan 1600-talet krukmakarnas stad. En spin off blev lergökarna, som till allas glädje har tillverkats här sedan mitten av 1800-talet. Rådhuset, nu turistbyrå, från 1775 har ett helt fönster fyllt med lergökar. Spaltkärlsflöjter är det korrekta namnet på lergökar. I tusentals år har man spelat på sådana.

Det gamla kronohäktet vid Tingstorget är numera museum.

"Lergökasta'n" Ängelholm (die Stadt der Kuckucksflöte) ist zum größten Teil eine Idylle. Das beruht auf dem Flüßchen Rönneå, das durch die Stadt fließt. Ängelholm war lange für seinen Lachsfang bekannt.

Der alte Reichsarrest am Markt "Tingstorget" ist heute Museum.

The "toy-ocarina-town" partly still an idyll, much because of the river Rönneå. Ängelholm had, for a long time, a widespread reputation for its salmon fishery.

The ancient county lockup has been converted in to a museum.

Rönne å flyter maklig och bred genom Ängelholm. Stränderna är lummiga och fisket avkopplande.

Das Flüßchen Rönneå fließt ruhig und breit durch Ängelholm. Die Ufer sind grün und das Angeln entspannt.

Rönne å flowes leisurely through Ängelholm.

HÖGANÄS

Höganäs uppstod en gång för ett par hundra år sedan ovanpå rika lerfyndigheter. De lade grunden till en stor keramikindustri. Sedan utvanns kol. I dag tillverkar Höganäs järnpulver för hela världen.

Bei dem Ort, wo Höganäs vor ein paar hundert Jahren entstand, gab es bedeutendes Kohlen- und Lehmvorkommen. Deswegen war die Keramikindustrie für lange Zeit wichtig. Heute ist die wichtigste Industrie das Herstellen von Eisenpräparaten.

Höganäs was once founded on rich layers of coal. Later on the clay was a source for a main cheramic industry. Today Höganäs AB is a trade mark for iron powder.

Höganästegel har en speciell färgton, som man kan se på hus längs hela kusten.

Die Ziegelsteine aus Höganäs haben eine ganz besondere Schattierung, die überall entlang der Küste an den Häusern zu sehen ist.

The bricks made of the Höganäs clay have a special tint.

HOVS HALLAR

Ett spännande raukavsnitt av Bjärehalvöns vilda kust i norr. Här finns undangömda vikar, grottor och fantastiska stenformationer - ett riktigt sjörövarlandskap.

Hier sehen wir ein interessantes Gebiet, die wilde Küste im nordwestlichen Skåne.

A wild stretch of coast in north-west Skåne.

TOREKOV

Ett medeltida fiskeläge, som tyvärr brann ner i mitten av 1800-talet. Eftersom uppbyggnaden skedde efter den gamla stadsplanen ger Torekov ändå ett ålderdomligt intryck. Det gamla sjöröveriet har förfinats i en expansiv turism.

Torekov ist ein mittelalterisches Fischerdorf, das Mitte des 19. Jahrhunderts leider niederbrannte. Da der Wiederaufbau nach der ursprünglichen Stadtplanung gemacht wurde, macht Torekov wieder einen altertümlichen Eindruck.

A medieval fisherman's village, unfortunately burnt down in the middle of the 19th century. The new village is fortunately reconstructed according to the old plans.

VALLMON LYSER RÖD

Vallmofält på Österlen! Nya regler för trädor och bekämpningsmedel har givit detta lysande ogräs en renässans i kulturlandskapet, Kodak till glädje.

Der Mohn leuchtet heutzutage auf den Feldern in Österlen.

The rich colour of a poppyfield on the southeastern coast of Skåne - Österlen.

OCH LIN ERSÄTTER RAPS

Alla bildverk från Skåne har dominerats av gula rapsfält. Så också denna boks omslag... När jag arbetade med boken märkte jag dock att den ena nationella färgen börjat ersättas av den andra, blått.

Linodlingen i Skåne ökar kraftigt. Den är prioriterad inom EU och en bra omväxlingsgröda till spannmål. Bonden får tusen kronor mer i bidrag per hektar för lin än för raps.

Linet sår man dessutom på våren, varför det inte riskerar att frysa bort.

Det lin som odlas används inte till tyg utan till olja och foder.

Der Lein ersetzt den Raps. Fast alle Bilder aus Skåne haben bisher gelbe Rapsfelder dargestellt. Das Gelb ist doch allmählich durch Blau vom Lein ersetzt worden.

Flax is taking over as the most colourful motive för photographers.

STENARNA

Det finns gott om stenar i Skåne. Av alla slag. Här har vi tre vanliga sorter: den forntida, den sägenomspunna och den personförhärligande.

Gravfältet Vätteryd vid väg 23 norr om Höör hade en gång 600 resta stenar. De flesta har tagits bort för att bereda åkermark eller för att bygga med. Nu är 150 kvar. Här finns gravar från vikingatid och yngre järnålder.

Überall in Skåne findet man allerhand Steine.

Auf dem Gräberfeld Vätteryd, nördlich von Höör, standen einmal 600 Steine.

Despite what you might think - there are lots of rocks in Skåne! Here are three of them! The ancient, the mystic and the glorious.

The old nekropolis north of Höör at one time had 600 standing stones.

Reser man en sten så lever minnet kvar. Till exempel av hur Kaiser Wilhelm sköt sin första råbock på svensk mark. Vid Snogeholm, norr om Ystad.

Wenn man einen Stein aufstellt, wird er nachher zu einem Denkmal. Auf diesem Stein wird dargestellt, wie Kaiser Wilhelm seinen ersten Rehbock in Schweden schoß.

Raise a stone - preserve a memory! This stone enlightens the posterity that this is the very spot where the German kaiser Wilhelm shot his first roebuck on Swedish soil.

Altarstenen vid Oderljunga, i skogen norr om Perstorp, har fått sitt namn sedan snapphanarna tänkte avrätta sockenprästen där. Men prästen omvände dem alla...

Dieser Stein, der im Wald nördlich von Perstorp zu finden ist, hat den Namen "Steinaltar" bekommen. Der Name kommt davon, daß dänische Wiederstandskämpfer einen schwedischen Priester erschießen wollten. Er überlebte und anschließend haben die Kämpfer sich dem Christentum zugewandt.

The Altar Rock, deep in the woods of northern Skåne. Here, during the Danish guerrilla war against the Swedish occupants, a vicar was kidnapped and brought to the stone to be punished by the freeedom fighters. But he delivered such a forceful sermon that his captors changed their minds and became devoted Christians. Maybe even Swedes...

SKÅNSKA STENAR

Kungagraven, Bredarör, i Kivik på Österlen. I centrum av denna restaurerade stenhög finns en gravkammare med bildplattor från bronsåldern. Originalet var säkert ännu mer imponerande - innan bönderna såg högen som en utmärkt leverantör av byggnadsmaterial.

"Kungagraven", das Königsgrab, ein Megalithgrab in Kivik.

'The king's grave', Kivik, Österlen, southeast Skåne. But which king?

Skånska stenbroar fascinerar mig. Dessa grå, tunga valv över dansande eller stillsamt vatten. Oändlig möda bakom varje sten. Nu övergivna medan trafiken svischar förbi på helt ointressanta betongbroar intill. Bron vid Södra Åsums kyrka byggdes på 1760-talet. 1752 hade nämligen kungen bestämt att vägnätet skulle rustas upp. Det var säkert behövligt. Det innebar att de gamla träbroarna ersattes av dessa välbyggda stenbroar.

Bron orsakade en skandal: kronolänsmännen försnillade en del av pengarna till bygget...

Die Brücke bei der Kirche von Södra Åsum, Sjöbo, wurde im 18. Jahrhundert erbaut.

This beautiful bridge at Södra Åsum, Sjöbo, was built around 1760.

WANÅS

Med anor från 1400-talet har detta fyrlängade slott blivit medelpunkten i en storslagen permanent konst- och skulpturutställning. Såväl den stora ladan som den engelska, skogsliknande parken är överfyllda med spännande konst, samlad av Marika Wachtmeister.

Sedan början av 1990-talet har konstnärer från hela världen försökt berika naturen med alla tänkbara varianter av konst. Symbiosen mellan natur och konst är spännande att följa.

Överst: Wanås slott har under de 500 år som gått sedan det grundlades blivit en stilig byggnad med krenelerade gavlar.

Bilden till vänster: Den stora parken är översållad av spännande skulpturer. Här är det Gloria Friedmanns 'Stigma' från 1991. Ett blixtbränt träd, som utmanar den passionerat röda väggen.

Vor diesem Schloß, das Ahnen aus dem 15. Jahrhundert hat, gibt es immer eine Kunst- und Skulpturausstellung.

Links: Gloria Friedmanns 'Stigma'.

The palace has become the centre of a magnificent permanent open air exhibition in the park.

To the left: 'Stigma' by Gloria Friedmann, 1991.

STÖRSTA KORSVIRKESHUSET?

Så vackert! Kontoret vid Östanå Bruk, en av Skånes största korsvirkesbyggnader. Bruket började leverera papper redan på 1700-talet. I dag är det nedlagt. Brukspatron M Hagerman vilar i ett magnifikt mausoleum intill.

Das größte Fachwerkhaus in Skåne? Das Büro der Hütte Östanå.

How stately! One of the biggest halftimbered houses in Skåne. Formerly an office of the Östanå papermill.

Skåne har urgammal historia. Överallt i landskapet finns bevisen för detta kvar. Detta är Erkedösen, en stenkammargrav från stenåldern. Den ligger vid vägen mellan Ö och V Torp.

Überall in der Provinz findet man Beweise dafür, daß Skåne eine alte Geschichte hat. Hier ist Erkedösen, ein Steinkistengrab.

From the early days of the history of Skåne: a stone age tomb.

"PIRATEN"

Fritiof Nilsson "Piraten" håller fortfarande sitt fasta grepp om skåningarnas sinnen. Piratenpriset delas ut varje år, i Vollsjö har banvaktsstugan, där han föddes, blivit museum och pumphuset vid stationen rustats upp. På Kivik står han staty med sin färggranna villa i bakgrunden, för alltid på väg ner till stranden med fladdrande badrock. Piraten är den store folklige berättaren, som trivdes med stämningen på Österlen. Och vars burleskerier vann genklang i folksjälen.

Der Schriftsteller Fritiof Nilsson "Piraten" steht als Statue in Kivik. Im Hintergrund seine bunte Villa. In Vollsjö ist das Haus des Bahnwächters, in dem er geboren wurde, jetzt Museum. 'Das Pumpenhaus' ist instandgesetzt.

The writer Fritiof Nilsson, "the Pirate", captured in bronze on his daily walk to the beach in Kivik.

The pumphouse in Vollsjö, the village where he was born, has been renovated.

HÄSSLEHOLM

Först var det en gård. Sedan kom järnvägen och Hässleholm blev en järnvägsknut och sedan stad 1914. Under många år var Hässleholm en viktig regementsstad. Det var här, i kanten av skogen och bergen, som den första försvarslinjen mot lede fi låg. I dag är det järnvägen, som dominerar staden.

Hässleholm har tre avenyer. Den första går mellan stationen och kyrkan från 1914 och snuddar vid Torget.

Ein Knotenpunkt für die Bahn. Die Stadt hat drei 'Avenuen'. Die bedeutendste läuft zwischen dem Bahnhof und der Kirche.

Hässleholm is a major railway junction.
It is also known for its three avenues. This is the First.

SKÅNSKA MÖLLOR

Eftersom jag heter det jag heter känner jag visst släktskap med alla dessa möllor och forsar som finns ute i det kuperade landskapet. På höjderna står holländarna och stubbkvarnarna och fångar vinden i sina utsträckta vingar. Vid de små vattenfallen och forsarna snurrar skovelhjulet muntert. Eller gjorde. Nu är det bara nostalgi och hembygdsdagar av alltsammans. Men det är kanske inte det sämsta.

Stora bilden: Bymöllan i Lommarp, nedanför Nävlingeåsens bokskogsklädda sluttningar, s Vinslöv. Möllan i skiftesverk med stråtak (obs, inte halmtak) har brukats sedan 1600-talet. När häggen blommar och vårvattnet porlar är den oemotståndlig.

Lilla bilden: Krageholms mölla väster om Ystad är en av de största och bäst bevarade holländska väderkvarnarna i Sverige. Den vilar på en två och en halv meter hög grund av granit. Kvarnen uppfördes 1864 och användes yrkesmässigt till 1946.

Die Dorfmühle in Lommarp, südlich von Vinslöv. Die Mühle mit Schilfdach ist seit dem 17. Jahrhundert in Betrieb.

Das kleine Bild: Die Mühle in Krageholm, westlich von Ystad, ist eine von der größten und ältesten in Holländischen Stiel.

Main picture: the village mill of Lommarp, in use since the 17th century.

The Windmill of Krageholm, west of Ystad.

KRISTIANSTAD

Detta är residensstaden, vilken grundades som befäst stad, blev garnisonsstad och nu är ungdomens stad med blomstrande högskola. Hösten 1998 är 5 500 studenter inskrivna här, fördelade på sex institutioner. Bilden: högskolans centralbyggnad sedd från Lars Ekholms skulptur. 1614 lade Christian IV grunden till sin egen stad, ett värn mot svenskarna i norr. Befästningsvallarna är nu boulevarder.

Kristianstad är en typisk borgarstad, tidigare präglad av länsstyrelse och regementsofficerare, köpmän och förvaltning. Fasaderna utstrålar gammal myndighet och besuttenhet.

Diese Residenzstadt, die einmal eine befestigte Stadt war, und Garnisonstadt wurde, hat heute eine blühende Hochschule in den alten Kasernen.

Der dänische König Christian IV. gründete die Stadt 1614 zum Schutz der Schweden.

Kristianstad ist eine typisch bürgerliche Stadt, von Provinzialregierung und Verwaltung, Offizieren und Kaufleuten geprägt. Die Gebäude strahlen die ehemalige Macht aus.

This is the residential capital of northern Skåne, founded as a stronghold against the Swedes, then a military garrison and now a flourishing university town with a youthful appearance.

Kristianstad was founded in 1614 by the Danish king Christian IV.
Kristianstad is a typical middle class city where the buildings reflect of generations of civil servants, tradesmen and the military.

KRISTIANSTAD

Gamla Kristianstad ryms inom de gamla vallarna. Detta livliga kommersiella och kulturella centrum är till stor del bilfritt med lummiga alléer.

Die Altstadt von Kristianstad befindet sich innerhalb der alten Wallgräben. Das lebendige kommerzielle und kulturelle Zentrum ist größtenteils frei von Autos.

The streets in the old parts are mostly reserved for pedestrians.

KRISTIANSTAD

Renässanskatedralen Trefaldighetskyrkan uppfördes av Christian IV 1617 - 28 och kallas av många för Nordens skönaste renässanstempel. Från Christian IV:s tid finns de snidade ekbänkarna med sina figurer, altarverk och predikstol i marmor och alabaster samt en praktfull orgelfasad från 1630. Självfallet smyckas också kyrkan av tidstypiska epitafier.

Die Kathedrale 'Treenighetskyrkan', aus der Renaissancezeit, wurde 1617 - 1628 von Christian IV. errichtet. Die Kathedrale soll der schönste Renaissancetempel in Skandinavien sein.

Many consider the cathedral, built between 1617 - 28 as one of the most beautiful renaissance buildings in Scandinavia.

En stad som Kristianstad måste självfallet ha en vacker teater. Denna pärla ligger i Tivoliparken som en riktig jugendbakelse, uppförd 1906 av kristianstadssonen Axel Anderberg. Denne ritade också Stockholmsoperan och Oscarsteatern.

In einer Stadt wie Kristianstad muß es natürlich auch ein Theater geben. Es ist im Jugendstil gebaut und liegt wie ein Schmuckstück mitten im Park.

A town like Kristianstad is bound to have a showy theatre.

ÅHUS

Här rann tidigare Helge å ut i havet. På denna strategiska plats har Åhus legat sedan förhistorisk tid. Vid hamnen finns rester kvar av den medeltidsborg, som ärkebiskop Eskil anlade på 1100-talet. I dag är Åhus känt för en svensk exportsuccé; Absolut vodka. Gamla Åhus är en idyll kring torget och kyrkan från 1100-talet.

An dieser strategischen Stelle liegt seit vorgeschichtlicher Zeit Åhus. Am Hafen findet man Reste einer Burg, die der Erzbischof Eskil im 12. Jahrhundert erbauen ließ.
Heute ist Åhus für seinen 'Absolut Vodka' bekannt.
Das alte Åhus; das um den Markt und die Kirche aus dem 12. Jahrhundert liegt, ist eine Idylle.

This is where Absolut vodka is made! But Åhus has a history that goes back to the 12th century: the church on the square is that old and the surrounding Old Town is a beauty.

Snickarglädjen längs Helgeåns utlopp är betydande.

Tichlerfreude!

The gingerbread work along the Helge River is mostly for joy.

Kungastugan, till höger, var, trots sitt oansenliga format, skådeplatsen för en högst romantisk upplevelse. Från början var stugan en del av en rik borgargård. Sedan köpte kyrkan in den som en modest prästgård. Den gästades ofta av Karl XI under skånska kriget 1676-79, ibland när prästen inte var hemma. Vid ett sådant tillfälle omringades huset av danska soldater. Prästfrun, eller om det var prästen själv, skickade upp kungen att stå ovanpå spjället. På det sättet klarade sig majestätet...

Die Königshütte, Kungastugan, war, trotz ihrer Winzigkeit, Schauplatz eines höchst romantischen Erlebnißes. Dieser Pfarrhof wurde während des Kriege in Skåneversteckte oft von Karl XI. besucht. Besonders wenn der Pfarrer nicht zu Hause war... Eines Tages wurde das Haus von dänischen Soldaten umringt. Die Pfarrersfrau den König, dadurch ist er den Soldaten entkommen.

The King's Cottage - where King Karl XI was saved by a vicar's wife from a deadly threat by Danish soldiers. She shoved him up the chimney...

SKÅNSKA BACKAR

Glumslövs backar!

”I denna vackra vik för forntidsvatten

har korna lagt sig som små flintesten.

Med handen kan du ta dem in för natten

och bädda dem i båsen, en och en”.

Vackrare än Gabriel Jönsson kan ingen beskriva denna utsikt ner för Glumslövs backar.

Själv var han född nere i det pittoreska och genuina Ålabodarna. Områdets skönhet och närheten till Ven präglade honom. Backafallen ner mot Sundet har en skönhet, som berör alla.

Die Hügel bei Glumslöv.

The slopes at Glumslöv, southwest Skåne.

BRÖSARPS BACKAR

Istiden hade det goda med sig att den bland annat skapade Brösarps norra och södra backar på Österlen. De är väldiga avlagringar av kalkrik sand, nu delvis utarmade av tusentals års odlande. Norra backarna pryds av sandstäppsvegetation, men är känsliga för nedsurning, vilket bådar illa. Södra backarna ligger bättre till, med mer vatten och bättre jordmån. Här betar korna, blommar gullvivorna och klättrar turisterna upp och ner. Underbar utsikt när äppelblommen täcker grannkullarna.

Die Hügel von Brösarp sind Ablagerungen kalkhaltigen Sandes. Hier weidet das Vieh, hier blühen die Schlüßelblumen und hier wandern die Touristen hinauf und hinunter. Der Ausblick ist wunderbar, vor allem wenn die Nachbarhügel voll von Apfelblüten sind

The magnificent Brösarps Backar (Hills) are irresistible for moderate hillclimbers. So are the cowslips, right. The view over the blooming appletrees is worth the effort.

STENARNA PÅ ÖSTERLEN

Havängsdösen, högt över Hanöbuktens vatten med nationalparken Stenshuvud som effekt full fond. Den är en 4 000 år gammal långdös från yngre stenåldern. Stenshuvud är den östr utlöparen av förkastningslinjen från Kullaberg, vilken delar Skåne i två helt olika landskap.

Der Dolmen von Haväng ist 4 000 Jahre alt. Er stammt aus der Steinzeit. Stenshuvud, da Naturschutzgebiet im nordöstlichen Skåne, bildet den östlichen Teil eine Verschiebungslinie von Kullaberg im Osten.

The Haväng Tomb from the Neolithic Age is over 4 000 years old. Stenshuvud is the easter spur of the long faultline, that runs across Skåne from Kullaberg in the west. The fault divi des Skåne into two entirely different types of land.

Klyvasten, eller Klöftasten, är ett sprucket flyttblock vid Glemmingebro. Kring denna sten ha givetvis många sagor och skrönor vävts.

Klyvasten ist ein gebrochener Findling bei Glemmingebro.

Klyvasten is a big erratic split block north of Ystad.

ALES STENAR

Högst uppe på gräsplatån över det soldallrande havet. Ett skepp, byggt av 59 vertikala stenblock, 67 meter långt, upprest under yngre järnålder, på 600-talet e Kr. Mystiken kring skeppet är tät, teorierna många. Det räcker dock med vad man kan se: en mäktig manifestation av människors djupa drift att bygga något som är större än vi själva. Med en mening, får vi anta, som är djupare än vardagslivets trivialiteter. Ingen är oberörd.

Die Steine von Ale, östlich von Ystad, wurden im 7. Jahrhundert aufgestellt. Die Mystik um das Schiff und dessen Ursprung ist immer noch groß.

The stones of Ale, overlooking the sea east of Ystad, were raised in the 7 th century. They still remain a mystery. Who raised them? Why? There are a lot of theories, but no one knows for sure.

GLIMMINGEHUS

Den bäst bevarade av svenska medeltidsborgar. Uppfördes av Jens Holgersen Ulfstand 1499. Glimmingehus var en renodlad försvarsanläggning. Dess murar är flera meter tjocka och det inre fyllt med listiga försvarsanordningar. Så blev heller aldrig borgen erövrad. Men att bo här var inte trevligt, trots att borgen har ett avancerat system för centralvärme.

Keine andere schwedische Burg aus dem Mittelalter ist so gut erhalten wie Glimmingehus.

Glimmingehus is the best preserved medieval castle in Sweden. Built as a stout stronghold by Jens Holgersen Ulfstand in 1499.

ÖSTERLEN

Simrishamn är en i ordets rätta mening förtjusande liten stad. Den gamla staden kännetecknas av stenlagda strädden efter en medeltida gatuplan, hus i romantiska pastellfärger och trädgårdar med sydländsk frodighet. Hamnen är stadens hjärta med allt livligare trafik. 6 000 personer bor inne i Österlens centrum.

Simrishamn ist eine bezaubernde Kleinstad. Die Stadt ist berühmt wegen seiner gepflasterten Straßen, Häuser in romantischen Pastellfarben und Gärten mit üppigen Wuchs.

Simrishamn is an idyll, in the best sense of the word. Distinctive traits of the old town are cobbled streets, small cottages in romantic pastel colours and gardens with luxuriant flora.

I Tomelilla är Byagården länken till det förflutna.

In Tomelilla ist Byagården (der Dorfhof) eine Erinnerung an die Vergangenheit.

Byagården, The Village Farm, in Tomelilla, is a link to the past.

ÖSTERLEN

Pastoral idyll, som ovan vid Tommarpsån, och bullriga fester, som Kiviks marknad, är båda typiska för Österlen. Den vänliga naturen, givmild både till havs och på land, och fallenheten för rejäla fester har länge givit österleningen ett gott liv.

Typisch für Österlen sind pastoralen Idyllen wie z. B. hier an dem Tommarpsflüßchen, und lebhafte Feste, wie der Jahrmarkt in Kivik.

Österlen has it all: pastoral idylls and merry fairs like the famous Kivik's Fair.

STRANDEN

En av mina favoritstränder ligger på udden vid Gislövshammar mellan Brantevik och Skillinge. Det är inte bara den intrikata geologiska formationen, som fängslar. Det är också spåren efter tillverkningen av kvarnstenar, huggna ur den mjuka sandstenen, som gläder både barn och vuxna.

Auf der Landzunge bei Gislövs Hammar kann man die Spuren der ehemaligen Herstellung von Mühlensteinen erkennen. Diese, die aus dem weichen Sandstein gehauen wurden, können Groß und Klein eine Freude machen.

Traces of the cutting of millstones in the soft limestone at Gislövs hammar, Österlen. A joy for naked feeet...

Skåne har en tredjedel av Sveriges bästa sandstränder. I likhet med landskapet självt är de tätt befolkade under badsäsong. Men ingen behöver trängas.

In Skåne befindet sich ein Drittel aller Sandstrände in Schweden. Diese sind, genau wie die Provinz, im Sommer sehr gut besucht.

A third of all of Sweden's sandy beaches surround Skåne.

STENRIKET

Hägghults stenbrott vid Lönsboda - centrum för brytningen av den stelnade lavan eller svarta graniten - diabasen. Det är en dyrbar och vacker sten, som främst används till förnäma byggnadsverk, monument och konstverk över hela världen. Men också till gravvårdar, inredningar och prydnadsföremål. Diabasen har alltid varit konstnärernas favoritsten. Den är tung, tät, har djup färg och kan upparbetas till hög glans. Brytningen började 1899 och har pågått i hundra år! Nu kan man besöka det gamla stenbrottet, som är 900 meter långt, 60 meter brett och 75 meter djupt. Hela området, med allt diabasskrotet, konstverken och lämningarna efter hundra års industriell brytning, är mer än väl värt ett besök. Kaffestuga och museum. Här bryts i dag den svarta diabasen i ett brant dagbrott.

Hägghults Steinbruch bei Lönsboda, seit hundert Jahren Zentrum des Bruchs von Diabas, ein Granit. Heutzutage kann man den Steinbruch besichtigen. Er ist 900 Meter lang, 60 Meter breit und 75 Meter tief. Hier wird der schwarze Diabas in einem steilen Tagebau gebrochen.

The Hägghult stone quarry at Lönsboda, northeast Skåne. Centre of the diabase industry for 100 years. Visitors are welcome to see the old quarry; 900 metres long, 60 metres wide and 75 metres deep.
To the left: the open-cast diabase mine.

Diabasblocken kategoriseras.

Die Diabasblöcke werden kategorisiert.

Every boulder of diabase has its number.

"Tack och Farväl", också kallad resväskan. En avskedshälsning från den japanske konstnären Masaru Takahashi, som fascinerats av diabasen. Han har översållat området med konstverk, varav jag visar några här.

"Auf Wiedersehen", auch der Koffer genannt. Ein Abschiedsgruß des japanischen Künstlers Masaru Takahashi, der vom Diabas fasziniert ist.

"Thank you - and goodbye!", or The suitcase, a work by the Japanese artist Masaru Takahashi, who is fascinated by the diabase.

FORSENS BRUS

Linné tyckte att branterna i ravinen vid Forsakar liknade kyrkväggar. Och nog är det en mäktig känsla, som ravinen med det dånande vattenfallet förmedlar. Här faller forsen ner för Linderödsåsens sydsluttning, mättad av våtmarkerna ovanför, och bildar Skånes vackraste vattenfall. Ett av fallen är 9 meter högt. Rik flora och fauna.

Linné hat die Steilhänge in der Schlucht bei Forsakar mit Kirchenwänden verglichen. Die Schlucht mit dem dröhnenden Wasserfall macht tatsächlich einen starken Eindruck auf den Betrachter.

Carl von Linné wrote that the steep sides of the ravine at Forsakar reminded him of churchwalls. The roaring waterfall has absolutely nothing to do with sacred peace...

STILLHETEN

Ja, Skåne är tättbefolkat. Ändå finns lugnet och stillheten överallt. Havet är nära och himlen är stor.

Ja, Skåne ist dicht bevölkert. Doch gibt es überall Plätze mit Ruhe!

Yes, Skåne is densely populated. But there are nevertheless quite a number of places offering solitude.

DET SKÅNSKA VILTET

Råbocken vakar över omgivningen medan hans maka vilar i skuggan. Skåne är rikt på vilt, från rapphöns till ja, också älg även om den jakten inte är samma mobilisering av jägare som norrut.

Der Rehboch wacht über seine Weibchen in Schatten. In Skåne gibt es viel Wild in verschiedene Größen.

The roebuck watches over his roedam in the shadows. Skåne is rich with game of all kinds, from partridge to elk.

SKÅNSKA KOR

Det finns 57 000 mjölkkor, 35 000 am- och dikor samt 167 000 ungnöt och kalvar i Skåne. I runda tal. De flesta av dem är mycket sällskapliga.

Einige der 260 000 Kühe die sich überall in Skåne befinden.

A few of the 260 000 cows cattered all over Skåne.

SKÅNSKT FISKE

Sillen skapade en gång städerna och lägena längs kusten. Skåne hade 40 fiskehamnar och 379 fiskare 1996. 489 båtar och 29 skepp drar på olika sätt upp nästan 7 000 ton sill, nästan 6 000 ton torsk, men bara 112 ton ål och 17 ton lax. Det är siffrorna. Men de säger inte mycket om känslan en solig vårmorgon när Krister Persson på Vitemölla knyter garnen i ålahomman.

Krister Persson in Vitemölla repariert die Fischernetze.

Krister Persson of Vitemölla mends the net of the eel-trap.

SKÅNSKA LAMM

Lamm! Hur många sådana det finns i Skåne vet jag inte. Men vuxna får och baggar finns det cirka 15 000 av, tyvärr minskande i antal. Stora ansträngningar har gjorts för att marknadsföra lammprodukter från bl a Österlen. Vi får hoppas att arbetet lyckas, eftersom fåren behövs i naturen.

Hier gibt es Lämmer! Man hat sich viel Mühe gegeben, die Lammprodukte auf den Markt zu bringen. Hoffentlich wird man damit Erfolg haben, denn die Schafe sind in der Natur von großem Nutzen.

Lambs! Great efforts have been made to bring lambproducts from Österlen on the market. Hopefully successful. The sheep keep the fields open.

SKÅNSKA GRÖDOR

27 procent av all brödsäd i Sverige skördas i Skåne. Sockerbetor har Skåne nästan monopol på: 85 procent. Rapsen är inte bara vacker på bild. 35 procent av alla Sveriges oljeväxter finns i Skåne. Och nu kommer linet!

Bilden nederst har jag tagit vid potatisplockning på Bjärehalvön. Fjärran från skolpojkens slit med pärena i kall och våt smålandslera. Skåne är bra på potatis också: 35 procent av rikets produktion.

27% allen schwedischen Getreides und 85% der Zuckerrüben ist in Skåne geerntet. Der Raps is nicht nur schön auf dem Bild, er ist auch sehr wichtig für Skåne. 35 % aller schwedischen Ölpflanzen werden in Skåne angebaut.

Das Bild unten zeigt die Kartoffelernte auf der Bjärehalbinsel.

27 per cent of all cereals in Sweden are grown in Skåne. And Skåne almost has a monopoly when it comes to suger-beets; 85 per cent. The rape is colourful, and so are the flax flowers.

The picture below shows potato lifting at the Bjäre peninsula on the northwest scanian coast.

Skåne cultivates 35 per cent of the potato crop in Sweden.

TURISTERNA

Turismen är den snabbast växande näringen i Skåne. Inresande över Skånes gränser (inte bara turister) omsätter nästan fem miljarder per år i länet. Särskilt attraktiva områden är kusterna, speciellt Österlen med Ystad, städerna på västsidan samt området kring Öresundsbron. Bilden: Vid hamnen i Simrishamn bjuds turisterna både på sjöutsikt och förtäring.

Am schnellsten nimmt das Gewerbe Fremdenverkehr in Skåne zu. Das Bild: Im Hafen von Simrishamn können die Touristen von Meeresaussicht und einen Imbiß genießen.

Tourism is the fastest growing industry in Skåne. One of the most popular spots for tourists is Simrishamn harbour.

SKÅNSKA TRÄD

Pilevallen är väl den mest typiska skånska detaljen i landskapet. Den är på väg bort, även om en viss återplantering numera sker.

De äldsta pilevallarna stammar från tiden strax efter 1810. Då kom, i enskiftestadgans spår, en förordning som tvingade bönderna att plantera Salix alba på jordvallarna kring sina ägor. Detta skedde för att i vis mån lindra virkesbristen i landskapet. Alternativet var att plantera skog på vart femtionde tunnland. Många valde då att plantera pilar på de obrukbara vallarna... Fortfarande finns ståtliga pilevallar att beskåda, t ex strax norr om kusten mellan Ystad och Trelleborg.

Die Weide ist wohl der Baum, der in Skåne am typischsten ist. Es gibt immer noch imponierende Alleen von Weiden zu sehen, wie z. B. hier nördlich von der Küste zwischen Ystad und Trelleborg.

Rows of willows are still to be found in southern Skåne - maybe the most typical scanian feature in the landscape.

Om våren blommar hagtornen som doftande rester av vinterns snöfall överallt i landskapet.

In Frühling blüht der Weißdorn.

Hawthorn is everywhere in the springtime.

De skånska alléerna, som till och med i något fall består av tallar, är också karakteristiska för landskapet.

Die Alleen in Skåne sind für die Landschaft charakteristisch.

Many of the roads are shaed by trees.

BOKSKOGEN

Att sådan skönhet har en så prosaisk bakgrund! Godsägarna planterade bok för att svinen skulle få ollon att äta... Nu gör man, bl a, vackra möbler av den.

Die Gutsbesitzer haben den Buchenwald angelegt, um Bucheckern für das Füttern der Schweine zu bekommen. Heutzutage stellt man von den Bäumen u. a. schöne Möbel her.

The beautiful beech woods had a very prosaic purpose: the farmers planted to provide the pigs with beechnuts. Today, the beechwood is among other things, used for brilliantly designed furniture.

Interiör från Broby Gästgivargård i norra Skåne.

Interieur von Broby Gästgivargård im Norden von Skåne.

Interior of the Broby Inn.

GO MAD...

Ja, vi kan ramsan. Och inte behöver man svälta i Skåne. Det ser bland andra gästgiverierna till. Som på Spången vid Ljungbyhed, nästan helgad åt minnet av Edvard Persson. Det finns ett antal flerhundraåriga gästgiverier kvar i Skåne, även om begreppet officiellt upphörde att brukas 1932. De har lång historia, ända från medeltiden, då de inrättades efter kungliga dekret. I dessa angavs noga hur långt det skulle vara mellan den tidens med säkerhet efterlängtade oaser.

Der Schoninger ist ein Gastronom. Daher die viele Gasthäuser, wie z. B. hier das Gasthaus Spången bei Ljungbyhed. Es gibt eine große Anzahl von Gasthäusern in Skåne, die mehrere hundert Jahre alt sind. Den Begriff 'Gasthaus' benutzt man seit 1932 nicht mehr offiziell.

Skåne has a rich culinary tradition. It is preserved by a number of local inns. Spången (The Foot-bridge) at Ljungbyhed is a tribute to the scanian star of countless burlesque comedies, Edvard Persson.

HAMMENHÖGS RÅKOR

Råkor, enkannerligen deras nykläckta ungar, serveras till ett antal av 2 - 3000 om året hos krögare Lennart Rovin på Hammenhögs mer än 300 år gamla gästgivargård. Råkungarna skjuts med salongsgevär, i ideala fall genom huvudet, när de balanserar på bokanten och undrar vad livet har att erbjuda. Det blir de snabbt varse.

Die Saatkrähen von Hammenhög. 2 - 3000 Saatkrähen, eigentlich ihre neugeborenen Jungen, werden jährlich bei dem Schankwirt Lennart Rovin serviert, an der mehr als 300 Jahre alten Gasthaus in Hammenhög.

Newly hatched rooks are served at the 300-year old Hammenhögs Gästis.

OCH SKANÖRS GÄSS

Skanörs Gästgifvaregård är 110 år gammal och har naturligtvis genomgått skiftande öden. I dag en modern restaurang, som håller fast vid den gamla seden att erbjuda gässen vatten och trygg övergång.

Der Gasthof in Skanör ist 110 Jahre alt, und hat sich natürlich im Lauf der Zeit verändert. Man hält aber bei der alten Sitte fest, den Gänsen Wasser zu geben. Ihretwegen gibt es sogar einen Zebrastreifen.

The inn Skanörs Gästgifvaregård has undergone many alterations during it's 110 years. Still, it provides the local geese with fresh water and a safe crossing.

SÅ BEVARAS HUSEN

De gamla kulturbyggnaderna, som det finns minst en av i varje by, blir ofta hembygdsgårdar. Som Klockaregården nedanför kyrkan i Stehag. Vi tycker att den är vacker - vackrare än den i och för sig fina prästgården från 1850-talet. Men nog var det skillnad på status...

"Klockaregården" vor der Kirche in Stehag.

The old house of the parish clerk at Stehag.

VÅR FRU ALSTAD

Ett märkligt namn tycker många. Vår Frue Alesta var det ursprungliga namnet, helgad åt jungfru Maria. Den vackra byggnaden, med anor från 1100-talet, har till stor del bekostats av pilgrimers offergåvor. Den som är road av detaljer kan räkna lärjungarna på altartavlan. Jo då, det finns en för mycket: prästen, som beställde målningen...

Der ursprüngliche Name, Vår Frue Alesta, war der Jungfrau Maria gewidmet. Das schöne Gebäude aus dem 12. Jahrhundert ist zum größten Teil durch Opfergaben der Pilgrimer erbaut worden.

The 12th century church Vår Frue Alesta, in the extreme south of Skåne, was sanctified to the Virgin Mary and paid for by pilgrims.

Kyrkorummen är ofta rikt dekorerade med bilder och konstnärligt utformade inventarier. Det var säkert tacksamt att låta blicken vila på dessa under långa predikningar. S:t Olofs kyrka.

Die Kirchen in Skåne sind oft schön dekoriert.

The interieurs of the scanian churches are often beautifully decorated.

Trappgavlar ska skånska kyrkor ha, även om inte alla är så stiliga som på Sövde kyrka. ➪

Treppengiebel müssen die Kirchen in Skåne haben. Alle sind aber nicht so stilvoll wie die Kirche in Sövde.

Stepped gables are typical for many scanian churches - if not always as stylish as these in Sövde.

SKÅNSKA RÄTTER

Äggakaka!

Något helt annat än en uppsvensk blek ugnspannkaka.

Direkt ur stekpannan, med rårörda lingon och knaperstekt fläsk. Och så en skånsk besk till, smaksatt med äkta strandmalört. (Eller hemodlad, om man inte vill bryta mot fridlysningen.)

Man steker fläsket först och låter en del av flottet ligga kvar i pannan. På gammalt vis vände man upp kakan, när den blivit fast, på ett grytlock, la tillbaka fläsket och litet av flottet samt placerade äggakakan ovanpå tills den var färdiggräddad.

Eierkuchen! Das ist etwas ganz anderes als der Ofenpfannkuchen, den mann sonst in Schweden ißt. Man ißt ihn direkt aus der Bratpfanne, mit gebratenem Bauchfleisch und Preiselbeeren.

Dazu trinkt man einen bitteren Schnaps, mit Wermut gewürzt.

Eggcake! A colourful creation, far from the bleak pancake. To be served directly from the frying pan with raw lingon berries and crisp fried bacon. With that: genuine bitter scanian snaps.

Ål!

Ålamörkret i augusti är en skånsk helg, jämnbördig med Mårten, äggapickningen vid påsk på Österlen, konstveckan och jul.

Ålagillet har beskrivits så: tre män går in i en ålabod vid solnedgången och kommer ut igen när solen går upp - och ingen har något att förtälja...

Nja, sådana fester är väl sällsynta. Men sju sorters ål med luad, halmad, kokt, stekt och ålasoppa och äppelkaka, nog frossar vi österleningar på allt detta. Någon gång.

Annars tar vi oss en beskedlig ålamacka. Och en klar.

”Ålamörkret” (die Dunkelheit der Aale), die dunklen Nächte im August bringen an Festessen in die Provinz! Sieben verschiedene Aal-gerichte muß man ”fressen” - oder reicht es vielleicht mit einer Aal- Stulle...

”Ålamörkret”, the dark nights in August, is a feast in Skåne, equal to Mårten (The goose festival in November), the ”Eggpicking” at Eastertime, The Artweek in Österlen at the same time and the Apple Festival.

”Ålamörkret” is the time to eat eel. As a sandwich, perhaps, with aquavit...

Sill!

I alla de sorter. Men helst stekta sillfiléer, som här, och en klar.

Sillen var en gång grunden i kustbefolkningens mathållning. Hela samhällen och städer grundades på havets silver, en träffande alitteration. Inlagd sill finns i otaliga varianter, rögad, som kallas böckling uppåt landet, är en fet, guldglänsande delikatess.

Till detta ett glas Ysta Färsköl.

Hering!

Es gibt eine große Auswahl von Heringen. Auf dem Bild werden gebratene Heringsfilet gezeigt. Dazu Bier aus Ystad!

Herring!

All kinds. Fresh from the sea. Fried, as here, and with beer from Ystad.

ÄBBLAKAKA!

Låter som en trollformel och är det också.

På Österlen odlas merparten av landets äpplen. I september firas Äppelmarknad i Kivik, med Helge Lundströms enorma äppelskulptur och marknad. Äpplen är en god del av livet på Österlen.

Och allra godast är de som ingrediens i äbblakagan.

Ska det vara så... Österlens egen festdryck; Anders från Åkessons.

Apfelkuchen! In Österlen wird der größere Teil den Äpfel in Schweden geerntet. Der Apfelkuchen kann man im Herbst überall genießen. Er ist eine Reise wert! Besonders wenn man Anders von Åkessons trinkt.

Äbblakaga! Apple cake! Österlen is the apple district.Sounds like a magic formula. So it is. It is worth a journey. Especially if you heighten your spirits with a glass of Anders from Åkessons, the winemakers of Österlen.

Im September feiert man Apfelmarkt in Kivik, wo u. a. die riesige Apfelskulptur von Helge Lundström zu sehen ist. Motiv: Carl von Linné.

During the Apple Festival in September a giant apple picture stands high over the visitors. In 1998 it showed Carl von Linné and was, as always, created by the artist Helge Lundström.

Matbilderna har jag tagit på restaurang Måns Byckare i Simrishamn.

DEN GAMLA MILSTENEN

Där vägarna från Simrishamn till Malmö, respektive Ystad löper samman i Järrestad står denna vackra milsten.

DER ALTE MEILENSTEIN

In Järrestad, südlich von Simrishamn, steht dieser Meilenstein.

THE OLD MILESTONE.

This beautiful milestone stands in Järrestad, south of Simrishamn.

DEN NYA BRON

Det nya tusentalet är Brons årtusende i Skåne. Så länge man väntat på den! Ett djärvt teknologiskt och logistiskt symbolbygge mellan två länder, två folk, två städer. När detta skrivs vet jag inte riktigt vad bron kommer att betyda. Men jag har en känsla av att den kommer att förändra mer än vad vi kunde föreställa oss när vi såg dess smäckra profil krypa ut över Öresund.

DIE NEUE BRÜCKE

Nach der Jahrtausendwende wird die Brücke zwischen Malmö und Kopenhagen fertiggestellt sein. Viele haben lange darauf gewartet. Das Bauwerk ist auch ein Symbol dafür, wie man Brücken zwischen zwei Völkern, zwei Städten und zwei Provinzen errichten kann.

THE NEW BRIDGE

The new millenium - and the new bridge, between Denmark and Sweden. For a long time just a dream, now a bold construction that connects two peoples, two regions and two kingdoms - for the future!

DET GODA LIVET

Skåne är rikt på historia, kultur och expansiv framåtanda. Det hindrar inte, tvärtom, att landskapet rymmer många sköna oaser. Skåningen är inte lika flegmatisk som han retades för förr. Men nog tar han gärna en liten siesta med barnen under magnoliaträdet i Bergengrenska trädgården i Simrishamn...

Skåne - ett landskap att Leva i!

DAS GUTE LEBEN

In Skåne gibt es viel Kultur, eine reiche Geschichte und auch viel Zielstrebigkeit. Es gibt auch viele schöne Oasen in denen der Schoninger sich gern mit den Kindern ausruht, z.B. wie hier im Stadtgarten Bergengrenska trädgården in Simrishamn.

Eine Provinz in der man gut leben kann!

THE GOOD LIFE

The scanian was said to be very phlegmatic. That has changed - to some extent. But who can resist resting under the magnolia tree in the Bergengren's Garden in Simrishamn?

Skåne - where you enjoy life!